Una etiqueta olvidada

Charo Garcés/Jan Peter Nauta

Una etiqueta olvidada

Centro de Investigación y Publicaciones de Idiomas
C/Trafalgar, 10, entlo. 1ª 08010 Barcelona
E-mail: editorial@difusion.com
www.difusion.com

Colección **"Venga a leer"**
Dirigida por Lourdes Miguel y Neus Sans
Serie "Almacenes La Española"

Diseño de colección: Angel Viola
Cubierta: OLE-STUDIO, Madrid

Segunda edición
Tercera edición

ISBN: 84-87099-20-3
Depósito Legal: M-12934-1991
Impreso en España - Printed in Spain

1

— ¡Para hoy! ¡Para hoy! ¡Para hoy![1]

Son las diez menos veinte de la mañana. Un ciego vende cupones de la ONCE[2] delante de la entrada de los almacenes "La Española", en la calle O'Donnell.

— ¡Para hoy! ¡Para hoy! ¡Para hoy!

Los clientes fijos suelen comprar por la mañana. La mayoría de ellos tiene sus manías. Algunos sólo quieren un número que termine en 6; otros siempre compran el número más alto. El ciego conoce las manías de todos. Empezó a vender en este sitio hace más de diez años, cuando abrieron "La Española". En este barrio también hay oficinas, el pirulí de TVE[3] está al otro lado de la calle, así que el ciego siempre tiene clientela.

Los grandes almacenes "La Española" abren a las diez de la mañana. Los dependientes empiezan a llegar a partir de las diez menos veinte. El ciego los conoce a todos: reconoce el sonido de los coches cuando entran en el aparcamiento subterráneo, el ritmo de unos pasos, la tos provocada por el primer cigarrillo de la mañana, el olor de una colonia...

Todos los días, a las diez menos veinte en punto, un taxi se para delante de los almacenes. Cuando el ciego oye pasos de ''Martinelli'', huele la mezcla de ''Ducados Internacional'' y colonia ''Quórum''[4], sabe que está llegando el señor Iribarne.

José Iribarne, el gerente, tiene unos sesenta años. Es calvo, autoritario, y no tiene amigos entre el personal. Ha trabajado en todas las sucursales de ''La Española''. Empezó en Bilbao, cuando era joven; luego trabajó en Valencia, Sevilla, Málaga, Barcelona, Valladolid, Zaragoza y Burgos. Ahora está pasando los últimos años de su vida profesional en Madrid. Peter Crawford, el nuevo presidente inglés de la empresa, está muy contento con él, pero el señor Iribarne espera jubilarse pronto y volver a Bilbao, la ciudad donde nació. No le gusta vivir en Madrid.

2

— ¡Para hoy! ¡Para hoy! ¡Para hoy!

— ¡Buenos días, Faustino! Ya está refrescando, ¿verdad?

— Buenos días, doña Rosarito. Sí, se nota que ya estamos en invierno.

El ciego ya había reconocido los pasos enérgicos de Rosarito García, la señora de los lavabos. Es una mujer mayor que comenzó a trabajar aquí cuando abrieron los almacenes. Sus tres hijos se han casado y a ella no le apetece estar todo el día sola en casa. A Rosarito lo que le gusta es hablar con la gente, y por supuesto, le gusta hablar de la gente.

— ¿Ha llegado ya el señor Romero?

— No, no he oído su coche todavía —contesta el ciego—

y es imposible no oírlo. Debe ser el coche más viejo de todo Madrid.

— Pero eso sí: siempre reluciente de limpio —dice Rosarito— como él, todo hay que decirlo. Un hombre soltero, con sus camisas tan bien planchadas. Por favor, Faustino, dígale al señor Romero que ayer encontré su tarjeta 4B[5] en el vestuario. Luego se la daré. Debe de estar bastante preocupado. Hala, Faustino, que le vaya bien el día.

— Hasta luego, doña Rosarito. ¡Para hoy! ¡Para hoy! ¡Para hoy!

3

Felipe Romero, en su viejo pero limpio Renault-5, entra en el aparcamiento, deja el coche en el mismo sitio de todos los días y sale a la calle. Como de costumbre, antes de entrar a trabajar en el departamento de accesorios del automóvil, compra un cupón de lotería. Felipe cree en la suerte. Nunca le ha tocado un premio importante, sólo alguna vez mil pesetas, o quinientas. Pero él cree que algún día le va a tocar un premio gordo. A veces, por la noche, cuando está en casa viendo la televisión, sueña con viajes a países tropicales, playas blancas con chicas guapas, restaurantes con comidas muy ricas, y una terraza con vista al mar para tomar una copa. Y luego, bailar con una chica guapa; música suave, la luna que brilla en el mar...

Pero hasta ahora su sueño es sólo un sueño. La única playa que Felipe ha visto es la de Denia. Pasa las vacaciones con sus padres en el chalet de unos amigos, va a la playa y se quema, escucha a las chicas extranjeras que hablan idiomas que él no habla, prepara la comida para su padres, y ve la televisión o toma una cerveza en un bar. Y así todos los veranos. Felipe tiene cuarenta y tres años, y su única esperanza de cambio es la lotería.

— ¡Para hoy! ¡Para hoy! ¡Para hoy!

— Buenos días. Déjeme ver las terminaciones[6], por favor — dice Felipe.

— Señor Romero, doña Rosarito quiere verle. Me dijo que ha encontrado su tarjeta.

— ¿Mi tarjeta? —contesta Felipe, mirando en su cartera— Es verdad, no la tengo. ¡Qué despiste! Gracias, Faustino.

Después mira los números y compra un cupón.

En ese momento llega Carolina, la chica del departamento de discos. Muchas veces la trae su novio Javier en su moto. Carolina, antes de entrar, habla unos momentos con Javier. Luego, se dan un beso. Felipe Romero los mira y entra rápidamente en los almacenes.

4

— Para terminar —dice José Iribarne— quiero repasar brevemente la situación en algunos departamentos.

El gerente está reunido con los jefes de todos los departamentos para comentar los resultados de la semana pasada.

— Creo que la publicidad en televisión para ropa de señoras no está dando buenos resultados. Las ventas prácticamente no han aumentado con respecto a la semana anterior. Espero que esta semana sea mejor.

La jefa del departamento de ropa de señoras hace un gesto con la mano y dice:

— Si me permite, don José, yo creo que la nueva línea que hemos introducido es muy bonita pero también es muy...no sé cómo decirlo...atrevida, quizás. Por eso me parece que tenemos que tener un poco de paciencia. Los clientes necesitan tiempo para acostumbrarse a esta línea.

— Pues, vamos a ver cuánto tiempo necesitan —responde secamente José Iribarne— Otro departamento que me preocupa es el de televisión. Cada semana se venden menos televisores, y además ha habido quejas de clientes sobre el mal funcionamiento de la sección de reparaciones. ¿Qué pasa, señor González? La gente ya no quiere ver la televisión? ¿Usted ya no sabe reparar televisores?

Aurelio González, jefe del departamento, mira a sus compañeros en busca de ayuda, pero todos están mirando sus papeles.

— Pues...verá, don José. Ya he hablado con el personal de reparaciones y creo que no va a haber más problemas. Y en cuanto a las ventas...no lo sé, quizás la gente compra ahora más ordenadores.

— Aquí vendemos de todo, señor González —le interrumpe José Iribarne— también televisores. Espero que la próxima semana usted me traiga mejores noticias. Eso es todo, señores. Señorita Carvajal, pase usted a mi despacho, quiero hablar con usted sobre los robos en la sección de discos.

5

Rosarito García está sentada a la entrada de los lavabos. Hay una mesa, y encima de la mesa un plato donde los clientes dejan dinero. Rosarito está haciendo punto. Su hija mayor espera un niño para dentro de unos meses. En sus momentos libres, Rosarito hace jersey.

— ¡Qué color más precioso, Rosarito! —dice Angelines,

una de las vendedoras de la sección de discos. Antes de ir a tomar café, suele charlar un rato con ella.

— ¿Qué tal, bonita? ¿No te tocaba el turno de las doce? Sólo son las once y media.

— Lo he cambiado con Marta. ¡Tengo unas ganas de un café! Es que he dormido muy poco, ¿sabes?

Rosarito ríe. Sabe que a Angelines le gusta salir y que, al día siguiente, siempre está hecha polvo.

— Píntate un poco. Parece que los jefes están de mal humor hoy. Les he visto salir de la sala de reuniones y ya sabes, hija: reunión de pastores, oveja muerta[7].

Entonces entra Felipe Romero. Rosarito deja el jersey en la mesa, abre un cajón y dice:

— Señor Romero, mire, aquí tengo su tarjeta. La encontré ayer por la tarde en el vestuario.

— Gracias, doña Rosarito. Se lo agradezco mucho. No me había dado cuenta, hasta que me lo dijo Faustino. No he podido subir antes, hoy tenemos muchísimo trabajo. Muchas gracias.

Cuando Felipe entra en los servicios de caballeros, Angelines comenta, en voz baja:

— Tanta educación, tanta educación, el tío ese es que me pone enferma. Y conmigo no se mete mucho pero Carolina te podría contar cada cosa…

— Vamos, Angelines, es que también vosotras… A mí me parece que no es mala persona, todo hay que decirlo.

6

— Señorita, me podría atender?

La señora que se ha acercado a Carolina, tiene aspecto

de sentirse un poco perdida en la sección de discos.

— Dígame —dice Carolina.

— Mire, quería pedirle un consejo. Es que quiero comprar un disco para mi hija que vive en Bruselas. Está casada con un chico de allí, ¿sabe?, y muy bien, muy bien, pero claro, no es como aquí, la comida y esas cosas. En fin, el otro día me escribió una carta para pedirme que le envíe unos discos españoles. Es que allí, en la radio se oye de todo, música inglesa sobre todo, me imagino, y francesa, pero de música española, nada. Así que, le quiero enviar algún disco español. Pero claro, yo de eso no sé nada.

— Pues, mire, aquí están los elepés que han salido esta semana: Radio Futura, El Ultimo de la Fila, Danza Invisible, Gabinete Caligari, Duncan Dhu, Joaquín Sabina, Ana Belén[8]. No sé, ¿qué música le gusta a su hija?

— Ay hija, no lo sé. Con todos estos nombres raros...

La señora mira los discos pero no sabe cuál elegir.

— Yo sólo conozco a los cantantes de antes, Lola Flores, Rocío Jurado, Julio Iglesias, vamos, la canción española, romántica, pero seguro que a mi hija no le van a gustar. Pues mire usted, creo que voy a llevarme estos dos. Me gusta la foto de este chico, Joaquín Sabina. Será muy conocido, ¿verdad?

— Sí, es de los mejores. Pase por aquí.

Cuando Carolina va a marcar los precios en la caja, llega Angelines y le dice:

— Oye, que subas al departamento de personal, la Carvajal[9] quiere hablar contigo. Dame esos discos.

Carolina, antes de ir al despacho de la jefa de personal, pasa por los lavabos. Cuando Rosarito la ve, le dice:

— Carolina, guapa, que vayas a ver a la señorita Carvajal.

— Sí, sí, ya lo sé. Ahora voy.

Cuando sale de los lavabos, Carolina se encuentra con Aurelio González, que acaba de salir del departamento de personal.

— Carolina, la señorita Carvajal te está esperando.

Parece que hoy todo el mundo se ha puesto de acuerdo: la señorita Carvajal quiere hablar con Carolina y todo el mundo quiere decírselo. Cuando está a punto de entrar, sale Manolo, uno de los ascensoristas. Cuando ve a Carolina, abre la boca, pero antes de que pueda decir nada, ella le dice:

— ¡Sí! ¡Ya lo sé! ¡Que la señorita Carvajal quiere verme porque me va a subir el sueldo!

Manolo la mira con asombro y se rasca la cabeza. ¡Vaya fiera[10]!

7

Los empleados de "La Española" toman el café de la mañana por turnos. A veces, salen a la calle y desayunan en un bar que hay al lado. Otras veces suben a la cafetería del personal, que está en la cuarta planta. Allí pasan sus veinte minutos libres de palique[11]. Los lunes comentan lo que han hecho durante el fin de semana, en la discoteca ("Conocí a un tío majísimo"); la excursión al campo del domingo ("Fíjate, había unos atascos tremendos para volver a Madrid, llegamos a casa a las once"); el partido de fútbol del Real Madrid ("Escucha, yo te digo que era gol, macho, Butragueño no estaba en fuera de juego"); la visita a la familia ("Fui a tomar unas copas con mi suegro"); la televisión ("¿Viste la peli del sábado? ¡Qué rollo!").

Así, los veinte minutos pasan rápido. Sólo para Felipe Romero duran una eternidad. Felipe es un hombre muy educado, pero poco hablador. Cuando sube a la cafetería, se sienta en la barra, pide café con croissant y lee el periódico. No habla con nadie.

Pero hay veces que le entran ganas de hablar. Cuando le corresponde el mismo turno que Carolina, de repente Felipe se convierte en otro hombre. Si Carolina no ha pedido todavía, él la invita. Se sienta a su lado y habla. Cuenta cosas de sus vacaciones en Denia, de las formidables terrazas frente al mar, de los fabulosos restaurantes en las calles del centro del pueblo, de las preciosas playas de arena blanca, de sus amigos extranjeros que le han invitado a su casa. Carolina le mira sin interés y toma su café.

De vez en cuando, habla de su cuñado que trabaja en Televisión Española.

— No sé exactamente qué es lo que hace, porque ya sabes, Carolina, en la televisión hay mucho lío siempre, de repente cambia un equipo y ¡zas!, ya no trabajas donde trabajabas, pero mi cuñado es bastante listo, él hace de todo y por eso siempre le necesitan. El otro día me contó que van a hacer un programa de música rock. Y yo le dije, mira, Eduardo, hay una chica que trabaja en la sección de discos y que sabe mucho de esto. Se llama Carolina y es muy mona. Si necesitáis ayuda o algo, le dije, yo puedo hablar con ella. Seguro que le interesa. ¿Te interesaría trabajar en la televisión, Carolina?

— Psé. La tele es un rollazo.

Carolina se levanta y deja sólo a Felipe. Los veinte minutos para el café han terminado.

8

— ¡Adelante!

Cuando Carolina entra, Marisol Carvajal, la jefa de personal, está leyendo unos papeles. Su mesa de trabajo está llena de informes, formularios y cartas. En esta época del año hay mucho trabajo. Para la temporada de Navidad y Reyes [12] la empresa necesita más personal. Pero ése no es el único problema que tiene Marisol. Esta mañana, después de la reunión con los jefes de departamento, José Iribarne le habló muy claro.

— Estamos gastando millones de pesetas en sistemas electrónicos de seguridad para evitar robos. Pero la técnica es sólo una parte del problema. Luego, tenemos el factor humano.

— ¿Se refiere usted al personal, don José?

— Usted es psicóloga y sabe mejor que nadie a qué me refiero — contesta el señor Iribarne— Cuidado: yo no digo que el personal sea culpable. Pero quiero una investigación completa para terminar inmediatamente con esos robos en la sección de discos.

— Siéntate, Carolina —dice Marisol— Espérame un segundo.

Coge unas cartas, se levanta y va al despacho de la secretaria. La parte superior de la pared es de cristal y Carolina observa cómo habla con la secretaria. Mueve mucho las manos y la cabeza y de vez en cuando aparta su melena de la cara. Tiene el pelo castaño con unas mechas rubias. La luz se refleja en sus pendientes de plata. El traje que lleva es caro, eso se nota enseguida. Carolina se acuerda de que una noche de sábado, este verano, la había visto en una terraza de la Castellana[13]. Ella iba con Javi[14] en la moto, había un tráfico tremendo aunque era casi la una. Hacía muchísimo calor, casi 28 grados, y parecía que todo Madrid había salido. Aparcaron la moto y dieron un paseo. No podían tomar nada: en esas terrazas cobran 600 pesetas por una cerveza. Esa noche fue cuando vio a Marisol Cavajal.

Estaba sentada muy cerca de un hombre cuya cara le sonaba. Se parecía mucho a Antonio Banderas, el actor. ¿Era él? Desde luego, era guapísimo. Marisol parecía muy contenta. Pero Javi no estaba interesado en los amigos de la señorita Carvajal. Volvieron a la moto y Javi la llevó a casa. Estaba cansado, porque había trabajado toda la mañana y por la tarde había ayudado a su padre a reparar el coche.

— ¿Qué tal está tu novio?

— ¿Cómo?

Carolina no había oído volver a Marisol.

— ¿Qué tal está Javier? ¿Le gusta su trabajo?

— Sí —dice Carolina, no muy convencida— pero es un trabajo muy cansado.

— Claro, tiene que estar todo el día en la calle. Pero es un trabajo importante, sabes. Sin mensajeros[15] esta ciudad no podría funcionar. Además, me parece un chico muy serio y eso es lo que necesitan las empresas, personas serias.

Silencio. Carolina se pregunta por qué la habrá llamado.

— ¿Desde cuándo estás con nosotros, Carolina?

— Desde febrero.

— Tienes un contrato hasta enero, ¿verdad?

— Sí.

— Estás a gusto aquí?

— Sí.

Otro silencio. Marisol saca un paquete de Winston del cajón de su mesa y le ofrece uno a Carolina.

— Gracias. No fumo.

— Carolina, la cuestión es la siguiente. En vuestro departamento hay bastantes casos de robo. Bueno, siempre los ha habido. Es más fácil llevarse un disco o una cassette que un sofá, ¿verdad? Y en los últimos años, con los discos compactos [16], la situación no ha mejorado. El nuevo sistema de protección electrónica que hemos instalado después del verano parece funcionar bastante bien, pero el caso es que siguen desapareciendo discos.

— ¡Pero si yo no tengo la culpa!

— Tranquila, Carolina, tranquila. No te estoy acusando de nada. Yo lo único que quiero es solucionar cuanto antes este problema, para el bien del personal. La empresa no puede permitirse perder dinero de esta forma. La dirección ha decidido aumentar la vigilancia. Los guardias de seguridad[17] controlarán con más frecuencia. Lo que te quiero pedir es que, si ves algo sospechoso, se lo digas a Angelines inmediatamente.

Marisol mira su reloj, apaga su cigarrillo y se levanta.

— Ah, otra cosa. Me dijo Angelines que Javier te viene a visitar, a veces, cuando trae un recado para la empresa. Tú sabes que está prohibido que nadie pase detrás de los mostradores. Por razones de seguridad, ¿comprendes?

Carolina se levanta también. Tiene un nudo en la garganta y no sabe qué decir. Marisol la acompaña hasta la puerta.

— Por favor, no lo tomes como algo personal. Aquí, cada uno tiene que hacer su trabajo lo mejor que pueda. Eso es todo.

Cuando baja al departamento de discos, Carolina siente que las lágrimas le vienen a los ojos. Está confundida. ¿Marisol sólo le quería decir eso: que cada uno tiene que hacer su trabajo? ¿Y por qué habló tanto de Javier?

Angelines está ordenando discos. Cuando ve a Carolina, le pregunta:

— ¿Qué te ha dicho?

— Nada.

9

Javier aparca la moto delante del número 9 y se quita el casco. Conoce esta plaza. En el número 11 vive Santiago Carrillo[18]; estuvo dos veces en su casa para recoger un mensaje. Detrás del edificio está el parque del Retiro[19]. Es la una y media y en la plaza hay unos chicos paseando al perro.

Toca el timbre. Después de unos segundos, oye la voz de una mujer joven por el telefonillo del portero automático:

— ¿Sí?

— Soy Javier. Vengo por lo de las clases.

— Ah sí. Sube.

La puerta se abre, Javier entra en el hall y sube en el ascensor al quinto piso. Le abre la mujer.

— Hola, soy Menchu. Pasa.

El piso es pequeño. En el pasillo y el salón hay unas estanterías enormes que llegan casi al techo. Están llenas de libros. Hay también una mesa de trabajo con un ordenador y un sofá grande, en forma de L. Menchu le presenta a su amigo, pero Javier no entiende el nombre. El amigo es extranjero, bastante alto, rubio y parece algo mayor que ella. Habla muy bien español.

— Podéis utilizar la mesa, si queréis. Yo tengo que ir a Correos, antes de que cierre. Hasta luego.

— Hasta ahora.

Javier deja el casco en el sofá, se sienta y mira las estanterías.

— ¡Cuántos libros! Hay por lo menos cinco mil. ¿Los habéis leído todos?

— La mayoría, sí —contesta Menchu. Es joven; tendrá unos 26 ó 27 años. Tiene el pelo largo de color castaño. Lleva un chandal rosa.

— O sea que…querías clases de latín, ¿no?

— Sí. Mira, como ya te dije ayer cuando te llamé, estoy haciendo COU[20] en una academia y me cuesta cantidad[21]. Terminé BUP hace un par de años y la verdad es que no me acuerdo de nada. Y el latín…pues, me paso la clase mirando al profe y todo me suena a chino. Tampoco tengo mucho tiempo para estudiar, ¿sabes?, trabajo de mensajero. También toco en un grupo de rock. Y nada, ayer vi tu anuncio en Segundamano[22] y te llamé.

— ¿Cuántas clases quieres? —pregunta Menchu.

— ¿Cobras mil pelas[23] la hora, ¿verdad?

— Sí.

— Pues, no sé, dos horas a la semana o así. Lo que pasa es que tendría que ser a la hora de comer, vamos, sobre esta misma hora más o menos. Cuando termino de currar[24], me voy a la academia y no salgo hasta las diez.

— Vale. ¿De una y media a dos y media, entonces? A mí me vienen bien los martes y los viernes. ¿De acuerdo? Dame tu teléfono, así te puedo llamar si hay algún problema. Podemos empezar pasado mañana.

Cuando Javier está otra vez en la calle, los chicos que estaban paseando al perro han desaparecido. Ha empezado a llover. Javier se pone el casco y arranca la moto, en dirección a la calle O'Donnell.

10

— ¡Para hoy! ¡Para hoy! ¡Para hoy!

Son las dos pero Faustino sigue en el mismo sitio. Vende los últimos cupones a las personas que trabajan en las oficinas del barrio. Cuando se prepara para ir a casa a comer, oye la moto de Javi. Sabe que viene casi todos los días a esta hora para recoger a Carolina, pero hoy los pasos de Carolina, que le espera delante de la entrada de "La Española", suenan distintos, más impacientes que otros días.

— Vamos a algún sitio a tomar algo —dice Carolina.

— ¿Ha pasado algo?

— Luego te lo cuento.

— ¿Has comprado las carpetas que necesito para clase?

— ¡Las carpetas! — dice Carolina— Perdona, cariño, es que, con la mañana que he tenido...

— Las voy a comprar ahora, después no voy a tener tiempo. Espérame aquí, ahora vengo.

Javier entra en los almacenes. Pero cuando se dirige al departamento de papelería, de repente ve que hay dos guardias de seguridad que se le acercan. El mayor, un hombre gordo y fuerte, dice:

— ¡Eh, tú, chaval! Arriba quieren hablar contigo. Ven conmigo y tranquilo, ¿eh?, si no quieres que venga la madera[25]. ¿Comprendido?

Javier no tiene tiempo de reaccionar. El guardia le lleva directamente al despacho de Marisol Carvajal. Al poco rato, entran Felipe Romero y otro señor. Marisol Carvajal le dice:

— Siéntate, Javier. Sólo queremos hablar contigo para aclarar unas cosas. ¿Conoces al señor Romero? Trabaja en el departamento de accesorios del automóvil. Y este es el contable de la empresa, el señor Cardoso.

Javier los mira. A Felipe Romero le conoce, Carolina le ha hablado bastante de él y no muy bien. Del otro sólo conocía el nombre, que viene en los formularios que hay que firmar cuando lleva algún recado para la empresa.

— Nos gustaría solucionar este problema con mucha discreción, Javier, sin intervención de Dirección ni de la policía. Eso es lo mejor para nosotros y, por supuesto, para tí.

— Pero, ¿me puede decir de qué problema me está hablando?

Se levanta el contable, se pone delante de Javier y le dice, en un tono irónico:

— ¿Cómo explicas tú que desaparezcan discos de un departamento donde trabaja tu novia, y siempre los días que tú vienes a traer o recoger mensajes?

Javier no sabe qué decir ni pensar. Está triste, confundido, furioso. ¿Le están acusando de robar discos? ¿Están diciendo que Carolina y él son ladrones?

— ¡Yo no soy un ladrón! ¡Yo nunca he mangado[26] nada!

Entonces, Felipe Romero dice:

— Hace un mes compraste un maletín para tu moto en mi departamento. Uno de esos maletines especiales que llevan protección por dentro para que no se puedan perforar. Los discos los llevas en ese maletín y por eso no suena la alarma electrónica.

— ¡Usted está loco! Yo vengo aquí a recoger mensajes. ¡Yo no soy un ladrón, y Carolina tampoco! ¡Me voy, y no volveré nunca más! ¡Ustedes están locos! ¿Por qué no llaman a la policía, eh?

— Eso sería lo mejor —dice Felipe Romero.

— Por favor, señor Romero —interviene el señor Cardoso— Vamos a ver las cosas con calma. Javier, escucha.

— ¡Yo no quiero ver nada con calma y no quiero escuchar a nadie! —grita Javier— ¡Me voy!

Rosarito García, desde la puerta de los lavabos, ve salir corriendo a Javier del departamento de personal. Un poco más tarde sale Felipe Romero, discutiendo con el guardia jurado. Luego, Marisol Carvajal y el señor Cardoso, hablando en voz baja.

¡Por Dios! — piensa Rosarito— ¡Vaya procesión! ¿Qué habrá pasado allí?

11

Todo esto ocurre un miércoles a mediodía. Cuando Javier sale corriendo de "La Española", Carolina ya no tiene tiempo para ir a tomar algo con él. Javier le cuenta en cuatro palabras lo que ha pasado; quedan en verse a las ocho de la tarde. Javier la esperará a la vuelta de la esquina.

Carolina trabaja toda la tarde sin ganas de hablar con nadie. A las preguntas de Angelines sólo contesta con las palabras mínimas o con un gesto de la cabeza. No sube a la cafetería para merendar[27]. A las ocho en punto recoge su abrigo en el vestuario de personal, al lado de los lavabos. Rosarito García la mira con curiosidad pero no pregunta nada.

— Hasta el viernes —dice Carolina.

— Hasta el viernes, guapa —contesta doña Rosarito— ¡Que disfrutes tu día libre.

El día siguiente, jueves, es Día de la Constitución[28] y los almacenes "La Española" no abren. Carolina piensa que un día libre le va a venir bien. Tendrá tiempo para pensar y para hablar tranquilamente con Javi.

A la salida se encuentra con Felipe Romero; parece que la estaba esperando.

— Oye, Carolina, quería...

Carolina no le hace caso y sale a la calle.

— Carolina, ¿podría hablar un momento contigo? No quiero que tengas una mala impresión de mí por lo del chico.

Carolina sigue caminando sin hacerle caso. Llega casi a la esquina.

— Sólo quiero decirte que una chica como tú no debería mezclarse en estas cosas de robos. Ya sabes cómo son los chavales de ahora. No respetan nada. ¿Por qué no piensas más en tu propio futuro?

Carolina dobla la esquina. Ahí está Javi. Felipe se calla, asustado.

— ¿Querías decirme algo más, asqueroso? —le dice Carolina— Dilo ahora, así Javier también te puede oír. Le interesa mucho mi futuro.

Felipe Romero duda un instante, luego se da media vuelta y se va sin decir nada más. Javi arranca la moto. Carolina, antes de subir, le besa.

— No voy a ir a la academia —dice Javi.

— Bien. Tú ahora no necesitas clase de nada.

Carolina le agarra fuerte. La moto se pierde entre el tráfico.

12

Los domingos por la mañana, el Rastro[29] de Madrid está lleno de gente. Es difícil pasar entre los puestos. En el Rastro se vende de todo. Muebles, pájaros, estatuillas africanas, revistas antiguas, repuestos para coches, juguetes, ponchos peruanos, lámparas, ropa usada, zapatos, discos, plantas...

Javi y Carolina van casi todos los domingos al Rastro. Les gusta mirar a la gente. Pasean por las calles y escuchan a los vendedores que llevan un micrófono al cuello para tener las manos libres y así poder mostrar sus productos.

— ¡Esto es increíble, señoras y señores! Por sólo cien duros, sí, me han oído bien, por sólo quinientas pesetas pueden ustedes llevarse este magnífico aparato que dejará su ropa más limpia que el agua clara. Y además, con esta compra les regalo este estupendo par de guantes. ¡Pura lana, créanme! ¡Todo por sólo cien duritos! A ver, señores, ¿quién es el primero? ¿Usted? Tenga, caballero, muchas gracias. ¡Sólo cien duros!

Carolina y Javi entran en una cafetería a tomar un café. Otra vez comentan lo que les ha pasado esta semana. Javi no ha llevado más mensajes a "La Española". Felipe Romero no se ha acercado a Carolina. Marisol Carvajal tampoco le ha dicho nada. El señor Cardoso se ha puesto enfermo y no ha venido ni el viernes ni el sábado. Los guardias de seguridad pasan cada quince minutos por el departamento de discos. No se han robado más discos. Nadie ha llamado a la policía.

— No lo comprendo —dice Javi— Si sospechan de mí, ¿por qué no llaman a la policía? Y si también sospechan de ti, ¿por qué no te denuncian, o te despiden?

No encuentran respuesta a estas preguntas.

— ¡Hombre, Javi! ¿Qué tal?

Es Menchu, la profesora de latín, acompañada de su amigo.

— Hola, Menchu, ¿qué hay? Mira, ésta es Carolina.

— Hola.

Menchu y Carolina se dan dos besos[30].

— Oye, perdona, ¿cómo te llamas? —pregunta Javi al amigo de Menchu— Es que el otro día no entendí bien tu nombre.

— Leo Hans. Es un nombre holandés. Pero si me quieres llamar Manolo, no me importa, ¿eh? —se ríe Leo Hans.

— Queríamos comprar una estantería para los libros —dice Menchu— pero las que hemos visto no nos gustan.

— Nosotros siempre venimos al Rastro los domingos —comenta Carolina— Nos gusta la música y allí abajo venden cassettes muy baratos. ¿Sabías que Javi toca la guitarra?

— ¿Ah sí? —dice Leo Hans— Yo también, pero la verdad es que hace un par de años que no practico. Vamos —se ríe otra vez— desde que fui a un concierto de Jimi Hendrix.

— Pues, de eso hace un par de años —dice Javi— Jimi Hendrix murió en el 70. ¡Qué bestia![31] Tengo todos sus discos. ¿Has visto alguna vez a Eric Clapton?

Carolina paga los cafés mientras Javi y Leo Hans siguen hablando de música. Luego salen y se mezclan entre el público. Cuando llegan a los puestos donde venden música, Leo Hans pregunta a un vendedor:

— ¿No tiene discos compactos?

El vendedor le mira con cierta desconfianza.

— Pues...sí, tengo algunos. ¿Qué música te interesa?

— Me interesa de todo.

El vendedor busca en unas cajas que están debajo del puesto. Saca algunos discos.

— Pasa por aquí. No quiero que los vea todo el mundo. Es una oferta muy especial, ¿sabes? Mira, éstos son los que tengo de momento. Bruce Springsteen, Dire Straits, el último de U2...

— ¿Qué precio tiene el de Springsteen?

— Pues, para ti...mil doscientas.

— ¿Mil doscientas? Anda, te doy mil y me das la vuelta[32].

— Hecho. Mil pelas. Y que conste que pierdo dinero.

Leo Hans paga. Javi le dice:

— Este disco debe estar bien. No lo conozco.

— Yo lo he escuchado en casa de unos amigos —contesta Leo Hans— Me gustaría hacerte una copia, pero no funciona el cassette del equipo.

— Yo tengo un equipo muy bueno.

— Pues mira, te lo llevas, lo copias y me lo devuelves el próximo día que vayas a clase.

— ¡Fenomenal! El martes te lo llevo.

Menchu y Leo Hans se despiden. Javi y Carolina vuelven a la moto, que habían dejado en una calle próxima. Los domingos, Carolina suele ir a comer a casa de Javi. Cuando llegan, lo primero que hace Javi es poner el disco. Carolina coge la tapa y saca el cuadernillo para leer los textos. Lo abre. Algo cae al suelo. Carolina lo recoge.

— ¡Javi!

— ¿Qué?

— ¡Mira!

— ¿Qué es eso?

— ¡Una etiqueta de "La Española"!

13

Cuando Javi llega otra vez al Rastro, son las tres menos cuarto. Ya no hay tanta gente como antes. Los vendedores han empezado a recoger sus puestos. El vendedor de discos introduce sus cajas en una furgoneta blanca, que está aparcada detrás del puesto. Javi está al otro lado de la calle, sentado en su moto. No se ha quitado el casco y el vendedor no le puede reconocer. La furgoneta arranca, Javi lo sigue a una distancia prudencial.

Primero cruzan la Glorieta de Embajadores, en dirección Atocha. Allí, la furgoneta toma el Paseo del Prado, cruza la Plaza de Cibeles y sigue por La Castellana[33]. A estas horas no hay mucho tráfico y Javi tiene que mantener bastante distancia. Pero al llegar al estadio Santiago Bernabeu[34], se encuentra con el atasco que se produce siempre que el Real Madrid juega en casa. La furgoneta gira a la derecha. Luego entra en el Paseo de la Habana. En este barrio hay chalets con jardines, y pisos bastante lujosos. Javi se pregunta con cierta rabia por qué él está trabajando de mensajero, si se puede ganar dinero y vivir bien vendiendo discos en el Rastro.

Tiene que frenar de repente, pues la furgoneta entra en un garaje, al lado de una casa. Javi deja la moto y, escondido detrás de un coche, observa la casa. El vendedor baja de la furgoneta y llama a la puerta. Alguien le abre pero Javi no puede ver quién es. Cuando se cierra la puerta, se acerca. En la puerta no hay ningún nombre. En el jardín, delante del garaje, hay un Austin Montego. Javi, que pasa la mayor parte del día en la calle, conoce todas las marcas. Este coche es un modelo nuevo. En la parte posterior lleva una pegatina: ‘‘Eu quero Galicia’’[35].

No hay nada más que ver. Desde una cabina telefónica, Javi llama a su casa. Se pone Carolina. Le cuenta qué es lo que ha visto.

— Eso es todo. No sé adónde nos lleva esto.

— Déjalo, amor, y ven a comer. Son las tres y media.

14

— ¡Para hoy! ¡Para hoy! ¡Para hoy!

— ¡Buenos días, Faustino! Ya está refrescando, ¿verdad?

— Buenos días, doña Rosarito. ¡Qué guapa la veo a usted hoy!

— ¡Ay, por Dios, Faustino, qué cosas tiene! Que termine en siete[36]. A ver si hay suerte.

Son las diez menos cuarto. Los empleados de ‘‘La Española’’ entran comentando el partido[37] de ayer.

— ¡Para hoy! ¡Para hoy! ¡Para hoy!

Faustino oye el sonido de la moto de Javi. Carolina se baja y pregunta:

— ¿Nos vemos a la hora de comer?

— Si puedo, paso a recogerte. Si no, llámame a casa por la noche.

— Hasta luego, amor.

— ¡Hasta luego, fea[38]! —se ríe Javi— Dame un beso.

— Claro, "La Española" cuando besa, es que besa de verdad[39]...

— ¡Y qué bien besan las chicas de "La Española" — contesta Javi y arranca la moto. Pero tiene que dar un frenazo, porque en ese momento entra un coche a toda velocidad en el aparcamiento de "La Española". El coche, un Austin Montego con una pegatina de "Eu quero Galicia", desaparece en el aparcamiento. Al volante va el señor Cardoso.

15

— ¿Sí?

— Hola, soy Javi.

La puerta se abre y Javi y Carolina entran. Es martes, la una y media. Arriba, Menchu abre la puerta.

— Anda, Carolina, ¿también vienes a aprender latín?

— No, tenemos que contaros algo.

— ¿Contarnos algo? Bueno pues, pasar, pasar.

Leo Hans está hablando por teléfono. Javi y Carolina no entienden lo que dice, debe de ser holandés. Cuando termina de hablar, Javi le dice:

— Te traigo el disco. No sabes el favor que me has hecho.

— Hombre, no es para tanto —contesta Leo Hans.

— Pues, verás. Es que, hemos tenido un problema y gracias a este disco lo hemos solucionado.

— Cuenta, cuenta —dice Leo Hans.

Carolina dice:

— Pues, mira, nos habían acusado de robar discos y gracias a una etiqueta que estaba en este disco, hemos descubierto quién los robaba: Quino Cardoso, el contable de "La Española".

— Pero, cuéntanos ya qué es lo que ha pasado exactamente —dice Menchu.

— Pues mira, en la sección donde trabajo, desaparecían discos. Bueno, eso suele pasar. Hay gente que se dedica a robar discos y es difícil evitarlo. Bueno, la semana pasada me llamó la jefa de personal, porque quería hablar conmigo. Fue una conversación bastante rara: lo único que me dijo era que todos tenemos que hacer nuestro trabajo lo mejor que podamos, y me preguntó por Javi, y esas cosas. No sé, me parecía que quería decir que Javi y yo teníamos algo que ver con los robos, pero que no se atrevía.

— Eso fue el miércoles por la mañana —dice Javi— Y a mediodía, después de estar aquí, ¿te acuerdas, Menchu?, fui a recogerla. Entré un momento para comprar unas carpetas. Y de repente uno de los guardias me detiene y me lleva a las oficinas.

— ¿Y te acusaron de los robos?

— Decían que los escondía en el maletín que tengo para llevar los mensajes. Es un maletín que compré allí, estaba también el tipo que los vende. Y el gerente, y la jefa de personal. Claro, me enfadé muchísimo, les dije que por qué no llamaban a la policía, y me fui.

— Pues sí que es un poco raro —comenta Menchu— Normalmente lo primero que hacen es llamar a la policía.

— Ahora comprendemos por qué no llamaron —dice Carolina— El contable sólo necesitaba un culpable. El había hecho un trato con uno de los guardias, Nicolás. Como Nicolás puede pasar por todos los almacenes sin que nadie se fije en él, pues, de vez en cuando se llevaba un par de discos compactos a la oficina. Cardoso les quitaba las etiquetas electrónicas, metía los discos en un sobre y luego los enviaba en un sobre cerrado como recado con Javi a casa de un amigo. Y el amigo los vendía al vendedor del Rastro.

— Pero, ¿cómo lo habéis descubierto? —pregunta Leo Hans.

— En el disco que compraste en el Rastro —contesta Javi— había una etiqueta de "La Española". Estaba en el cuadernillo con las letras y seguro que no lo habían visto. Cuando la descubrimos, volví al Rastro y seguí al vendedor. Se fue a una casa en el Paseo de la Habana. No vive allí, porque llamó a la puerta. No pude ver quién le abrió la puerta, me tenía que esconder. Sólo vi un coche, un Austin Montego blanco. Y fíjate, ayer por la mañana llevé a Carolina al trabajo y cuando me iba, casi me atropella el mismo coche.

— Tienes buena memoria para los coches —dice Menchu.

— Sí, pero además es que llevaba una pegatina que no se ve mucho por aquí. Una que dice "Eu quero Galicia".

— Y el señor Cardoso es gallego —concluye Menchu.

— Exactamente. Cuando le vi en el coche, lo comprendí todo. Fui a hablar con el director de mi empresa, que es un señor muy simpático, le expliqué todo y él llamó a la policía.

— Esta mañana —añade Carolina— la jefa de personal nos ha llamado y se ha disculpado. Todo fue un montaje del contable que creía que le iban a descubrir. Me han dicho que me tomara el día libre.

— Pues, eso hay que celebrarlo —dice Leo Hans— Hoy aquí no se habla de latín. Bajamos al bar y os invito. ¿De acuerdo?

Y claro, nadie se opone.

FIN

NOTAS EXPLICATIVAS

(1) Una de las frases habituales y repetidas de los vendedores de lotería, indicando que el premio se sortea ese día.

(2) La ONCE (Organización Nacional de Ciegos de España) organiza loterías para recuadar fondos para sus miembros.

(3) ''Pirulí'' es el nombre popular de la torre de emisión de Televisión Española (TVE).

(4) ''Martinelli'' es una marca italiana de zapatos caros; ''Ducados Internacional'' es una marca de tabaco negro, y ''Quórum'' es una marca muy conocida de colonia.

(5) La ''Tarjeta 4B'' es una de las muchas tarjetas bancarias que sirven para sacar dinero o pagar en establecimientos.

(6) Las terminaciones son las últimas cifras del número; los aficionados a la lotería suelen tener preferencia por determinadas cifras.

(7) ''Reunión de pastores, oveja muerta'': refrán popular que indica que, cuando los jefes se reúnen, algo les va a pasar a sus inferiores.

(8) Nombres de grupos y cantantes españoles de música rock.

(9) La utilización del artículo ''la'' indica aquí una opinión negativa sobre la persona.

(10) La palabra ''fiera'' (animal salvaje) se utiliza también para indicar a una persona enfadada.

(11) ''Estar de palique'': expresión coloquial que significa ''estar charlando''.

(12) Reyes (6 de enero) (Los tres Reyes Magos) es un día festivo en España, y el final de la época de Navidad.

(13) El Paseo de la Castellana es la avenida más grande de Madrid; en verano, en las aceras se montan terrazas muy concurridas y muy caras.

(14) ''Javi'' es la forma abreviada y popular de ''Javier''.

(15) Debido a la lentitud de Correos y la gran necesidad de comunicación, en España hay muchas empresas que se dedican a transportar cartas y paquetes; normalmente emplean a chicos jóvenes con moto.

(16) En lugar de ''discos compactos'', se utiliza con frecuencia la denominación inglesa ''compact disc''.

(17) Muchas empresas (bancos, grandes almacenes etc.), se protegen contra robos y atracos mediante la contratación de servicios de seguridad privados, los llamados guardias de seguridad o vigilantes jurados.

(18) Santiago Carrillo, líder histórico del Partido Comunista de España; en la actualidad es dirigente del PTE (Partido de los Trabajadores de España).

(19) El Retiro es un parque muy grande en el centro de Madrid.

(20) BUP (Bachillerato Unificado Polivalente) y COU (Curso de Orientación Universitaria), son los nombres de los cuatro años de la actual enseñanza media en España. Este sistema será cambiado en los próximos años.

(21) ''Me cuesta cantidad'', en lenguaje coloquial, significa ''me cuesta mucho''.

(22) ''Segundamano'' es una revista para compra y venta de artículos de segunda mano entre particulares; lleva también secciones de clases particulares.

(23) ''Pelas'' es la palabra coloquial por ''pesetas''.

(24) ‘‘Currar’’, palabra coloquial por ‘‘trabajar’’.

(25) En el argot, ‘‘madera’’ significa ‘‘policía’’.

(26) Palabra del argot que significa ‘‘robar’’.

(27) ‘‘Merendar’’: en España se suele comer algo (p.e., un bocadillo), con un café con leche o alguna bebida.

(28) El Día de la Constitución se celebra el 6 de diciembre; se conmemora el aniversario de la Constitución de 1978.

(29) El Rastro es el mercadillo que tiene lugar los domingos por la mañana en algunas calles céntricas de Madrid.

(30) Forma habitual de saludo, entre mujeres o entre un hombre y una mujer.

(31) Expresión que, según el contexto, puede significar algo muy bueno o muy malo.

(32) Forma graciosa para decir: ‘‘No te doy más de mil pesetas’’.

(33) Ver nota 13.

(34) El Estadio Santiago Bernabeu es el estadio del club de fútbol Real Madrid.

(35) ‘‘Eu quero Galicia’’: significa ‘‘Yo amo Galicia’’, en el idioma gallego, hablado en Galicia (en el noroeste de España).

(36) Expresión elíptica para pedir un número con el 7 como última cifra.

(37) ‘‘El partido’’ se refiere al partido de fútbol.

(38) ‘‘Fea’’ se utiliza aquí de forma cariñosa; en realidad, Javi quiere decir ‘‘guapa’’.

(39) Se refiere a la letra de una canción folclórica española.

¿ESTÁ CLARO?

1

	verdadero	falso
1. El ciego vende muchos cupones.	☐	☐
2. El ciego no conoce a todos los dependientes.	☐	☐
3. José Iribarne llega siempre a la misma hora.	☐	☐
4. El gerente es muy popular en la empresa.	☐	☐

2 Relaciona:

	tiene un coche muy viejo
Faustino	tiene tres hijos
	es soltero
Rosarito	ha reconocido los pasos de Rosarito
	trabaja en los lavabos
Felipe Romero	ha perdido su tarjeta
	habla mucho con la gente

3 Contesta a estas preguntas:

1. ¿Con qué sueña muchas veces Felipe Romero?
2. ¿Cómo pasa el verano?
3. Por qué compra lotería?
4. ¿Por qué crees que Romero no quiere ver a Carolina y Javier?

4 Contesta a estas preguntas:

1. ¿Están de acuerdo el gerente y la jefa del departamento de ropa de señoras?
2. ¿Aurelio González se siente muy seguro?
3. ¿Qué opinas del gerente José Iribarne?

5 Relaciona:

Angelines	hace un jersey para su nieto
	tiene mucho trabajo
Rosarito	tiene ganas de tomar un café
	ha visto salir a los jefes
Felipe Romero	es una persona muy educada

6 Contesta a estas preguntas:

1. ¿Para quién quiere comprar discos la señora?
2. ¿Conoces algunos de los grupos y cantantes que se nombran en el texto?
3. ¿Por qué crees que Carolina tiene que ir a ver a Marisol Carvajal?
4. ¿Por qué se enfada Carolina?

7 Contesta a estas preguntas:

1. ¿De qué hablan los empleados durante la pausa del café?
2. ¿Felipe Romero le cuenta a Carolina la verdad sobre sus vacaciones en Denia?
3. ¿Por qué crees que a Felipe Romero le gusta hablar con Carolina?

8 Contesta a estas preguntas:

1. ¿Qué ha dicho José Iribarne a Marisol Carvajal?
2. ¿Cómo es Marisol?
3. ¿Crees que Carolina o Javier tienen algo que ver con los robos?

9 Relaciona:

	estudia en una academia
Javier	está en una plaza
	quiere clases de latín
Menchu	está cerca del Retiro
	cobra mil pesetas
El piso	tiene unos 26 años

10

	verdadero	falso
1. El ciego sabe que ha pasado algo.	☐	☐
2. Javi entra para comprar un disco.	☐	☐
3. El contable le acusa de robar discos.	☐	☐
4. Felipe Romero ha visto que Javi robaba discos.	☐	☐
5. No llaman a la policía porque eso es negativo para la empresa.	☐	☐

11

	verdadero	falso
1. Carolina no quiere hablar con nadie.	☐	☐
2. Rosarito sabe qué ha pasado.	☐	☐
3. Al día siguiente, los almacenes cierran.	☐	☐
4. Felipe Romero quiere disculparse con Carolina.	☐	☐

12 Contesta a estas preguntas:

1. ¿Qué cosas venden en el Rastro?
2. ¿Qué ha pasado en "La Española" los últimos días?
3. ¿Qué disco compra Leo Hans?
4. ¿Qué encuentra Carolina en el disco? ¿Cómo crees que es posible eso?

13 Contesta a estas preguntas:

1. ¿Por qué sigue Javi al vendedor de discos?
2. ¿A qué tipo de barrio llegan?
3. ¿Qué ve Javi en el jardín?

14 Contesta a estas preguntas:

1. ¿Qué ve Javi cuando quiere arrancar la moto?
2. ¿Qué significa eso para la solución del caso?

15 Contesta a estas preguntas:

1. ¿Has comprendido lo que pasaba con los robos de discos?
2. ¿Qué personajes te han gustado más?